KB171779

나를 찾아가는 시간

김환희 에세이

나를 찾아가는 시간

발　행 | 2024년 7월 22일
저　자 | 김환희
펴낸이 | 한건희
펴낸곳 | 주식회사 부크크
출판사등록 | 2014.07.15.(제2014-16호)
주　소 | 서울특별시 금천구 가산디지털1로 119 SK트윈타워 A동 305호
전　화 | 1670-8316
이메일 | info@bookk.co.kr

ISBN | 979-11-410-9654-0

www.bookk.co.kr

‘지금 누구와 어떤 대화를 나누고 있는가?
=나는 누구인가?‘

<목차>

#1 빨간 딱지에 보일러가 끊겨도 감사

1997년 IMF 외환 위기가 터졌을 당시,
고작 3살이었던 나. 1998년 국가부도와 함께 우리집도 부도가 났고 시간이 흘러도 나아지지 않는 형편에 6살, 4살짜리 아이들을 두고 중국으로 돈을 벌러 가야했던 아빠, 당장에 생활비도 넉넉지 않지만 남편없이 아이들을 도맡아 어떻게든 집안을 살리고자 발버둥친 엄마.

집 현관문부터 온 집 안에 빨갛게 딱지로 도배가 되고 첫째 아들에게 이사간다는 말도 못한채 서둘러 집을 옮겨가야 했었던 그 날, 하교를 한 첫째는 텅빈 집을 바라보며 어리둥절해 있는 동안 앞집 아주머니께서 말씀해주셨다.
“얘, 너네집 저 윗 동네로 이사갔어 거기로 가봐”
아들에게조차 이사간다는 말도 못 할 정도로 정신없이 옮길 수 밖에 없었던 그 시절, 저희 엄마는 어둠 속에서 밝은 빛으로 안내해주시는 하나님을 만났습니다.

중국으로 돈을 벌러 간 아빠는 제가 4살때 떠나 초등학교 3학년때 돌아오셨습니다. 6년이라는 시간 동안 아빠 없이 엄마와 할머니 손에 커왔는데 신기한건 내가 어렸을 적 아빠를 찾은 적이 있었나 싶을 정도로 아빠의 결핍 없이 부모님의 사랑을 듬뿍 받으며 커왔다고 생각합니다.
그 이유를 28살이 되고 엄마와의 대화를 통해서 알게 되었습니다.
엄마는 그 당시 우리를 먹여 살려야 했고 남편이 다시 한국에 올 수 있도록 방법을 찾아야 했기에 밤낮 없이 공부하며 뛰어 다니던 때 항상 빼먹지 않은게 있었습니다.
바로 기도입니다. "하나님, 아이들의 영의 아버지가 되어 아이들을 돌봐주세요."
육의 아버지는 비록 떨어져 있었지만 영의 아버지가 우리와 함께하셨기에 나와 오빠가 부모님의 사랑을 많이 받은 아이들로 자랄 수 밖에 없었던 것 같습니다.

어른이 된 지금 비로소 나는 어린 시절의 나를 돌아보며 주님이 살아계심을 깨닫습니다.

엄마의 삶이라는 에피소드 중 절대 가슴에 새겨야 할 교훈이 있었습니다. 어느날 전기가 끊겨 깊은 어둠 속에서 어린 아이들 겨울 옷을 입히고 엄마, 나, 오빠 이렇게 셋이서 껴안고 자는 날이 있었습니다.
그날 엄마는 "내 평생 다시 없을 특별한 경험하게 해주셔서 감사합니다." 기도를 했었다고 합니다.
그 말을 듣는데 살아가면서 내가 하고자 한 일에 살짝이라도 틀어지면 불평,불만을 늘어놨던 내 자신이 너무나 작고 미성숙하다는 것을 깨달았습니다.

엄마는 인생의 그래프에서 가장 밑바닥을 찍었을 때 믿음의 순도는 더 높아졌고 어린 아이들을 집에 두고 서울과 부산을 왕복하며 전전긍긍했을때 절대적으로 '된다'라는 믿음이 우리 가정의 건강과 사랑이 넘치는 집으로 지켜주었습니다.

어떤 시련이 와도 세상에 대한 원망 대신 감사를 선택한 것, 어려움을 마주한 시간이 끝이 아님을 알았기에 매 순간 믿음으로 나아갔던 선택이 가족의 보금자리 자가 아파트를 마련해주고 매년 가족 모두와 함께 해외여행을 다니는 상황과 여건을 갖출 수 있게 되었습니다.

성인이 된 자녀들을 보며 엄마가 말씀하시길, 나와 오빠의 어린시절 부모의 손길이 필요했던 그 시절의 공백기는 많은 국내외를 다니며 즐겼던 가족 여행들로 다 매꿔져서 '가족'이라는 카테고리 속 외로움을 한번도 찾지 않고 지금의 우리들로 잘 자랐다고 말합니다.

#2 바운스백(Bounce Back)이 있어서 감사해

(바운스백(Bounce Back) : 어려운 시기 후 다시 회복되다)
탁구공이 바닥에 떨어지면 반동으로 다시 높이 나는 현상, 심지어 무거운 돌일지라도 높은 곳에서 떨어지면 반동이 있기 마련입니다.

내가 진정으로 원하는 삶에 대해 고민해보고
나의 미래가 어떨지 상상해보신 적 있으신가요?
원하는 나의 모습을 찾고 나아가려는 과정에서 마주하는 다른 부정적인 시선들도 존재합니다.
예를 들어 쓸데없는 동정에 있어 느끼는 답답함이라는 감정도 있습니다. 중요한건 꿈이란 도둑 맞기 쉽습니다. 부정의 언어와 시선들로부터 나의 꿈이 멀어지도록 그냥 냅두지 마세요.

가족들과 함께 세계여행을 다니며 자유를 누리고 싶은 삶이 어릴 적부터 그려온 제가 원하는 모습입니다.
그런데 직장이라는 공간에서 느낀 건 내가 원하는 삶의 모습과 거리가 멀게 느껴져서 27살에 퇴사를 선택했습니다. 27살, 젊은 나이에 퇴사를 한 이유는 그 자리에 머무르고 있다면 나의 30대가 생생히 그려졌다는 것이 가장 큰 이유였습니다. 이직한 회사가 업무적인 혹은 사람간의 관계적 스트레스는 없었기에 계속 일을 해도 좋은 환경이었지만 나의 30대는 직장이라는 공간 속에서 많은 시간을 쓰는게 아닌 다양한 업적을 세우며 화려하게 사는 그림들도 있었기에 사무실이라는 공간에서 벗어나고 싶었습니다.

현실을 도피하는 것이 아니라 '변화'가 필요했습니다. 내가 다른 삶을 살기를 원한다면 어떠한 변화도 받아드려야만 했고 그에 따른 과감한 선택과 도전이 필요했습니다. 감사하게도 퇴사를 하고 나서는 두려움보다 30대가 어떤 모습일지 기대감이 컸습니다.

브라이언 트레이시가 한 명언이 있습니다.
"성공한 사람들은 행동으로 보여주지만 평범한 사람들은 말만 거창하다."
많은 성공자들이 있는데 그 사람들의 시작도 도전과 선택에 따른 결과입니다. 나는 말만 하는 사람이 되고 싶지 않았고 무엇보다 시간을 다르게 사용하고 싶었습니다. 하루 24시간, 출퇴근 시간까지 포함한 '업무'를 위한 시간이 하루 12시간 가량을 차지함이 '내가 바라는 미래의 나'의 모습과 멀어져가고 있었습니다.

한 날, 제 친구가 그런 비유를 들어주더라구요.

'원시인에게 금을 줄까?, 쌀을 줄까? 물으면 원시인들은 쌀을 선택한다'고 하더라구요. 당연히 원시인의 입장에서는 금보다 지금 당장 먹을 쌀이 필요하니깐 그 선택이 당연합니다. 그런데 그 선택에는 금의 가치를 모르기 이기도 합니다.
다이아몬드도 똑같습니다. 처음부터 누구에게나 각광받던 빛나고 화려한 보물이 아니었습니다. 19세기 말경 남아프리카에서 많은 양의 다이아몬드 원석이 발견되었는데 당시 주민들은 흔히 볼 수 있는 원석이라 그냥 땅에 떨어져 있는 흔한 돌덩어리 그 자체였습니다. 그런데 영국인들의 눈에 다이아몬드 원석이 발견되며 본격적으로 채광이 시작되고 영국의 경제시장에 큰 기여를 하게 되었습니다.

세상은 이 땅에 태어난 모든 이들에게 공평하잖아요. 다만 기회를 볼 수 있는 눈을 가진 이들이 전세계 80억명의 인구 중 소수만이 가지고 있을 뿐이라는 것입니다. 그런데 참 아이러니한건 그 눈을 가지는 방법을 아마 알고 계실 수도 있어요. 많은 책에서 거론이 되거든요. '변화하고자 하는 자세를 가지고 경청하는 것' 이게 방법 중 하나입니다. 경청이란 단순히 잘 듣고만 있다는게 진정한 경청이 아니에요. 어떤 장단점이 있는지 생각해보고 어떤 부분을 내 것으로 만들 수 있을지 고민해보고 적용까지 해보는 것이 진정한 경청입니다.

누구에게 무엇을 경청하는가?
내가 되고 싶은 모습의 상대 또는 나와 다른 사람들 그들을 내가 직접 찾아가서 대화를 하고 그들의 스토리를 통해 유익함, 색다름을 내것으로 정립해야 합니다.

저는 제가 주변 지인들하고만 교류를 하곤 했는데 내 인생에 변화가 필요한 시점에서는 지금껏 만나보지 못한 분야에 있던 사람들이 색다른 유익을 주더라구요. 명품 브랜드 본사에 재직 중이지만 배우가 꿈인 친구, 고등학생의 나이지만 리걸테크 스타트업 대표, 전세계 마라톤 완주를 한 동기부여 연설가, 각종 분야의 사업가, 교육 플랫폼 브랜드 기업가 등.. 물론 다른 분야의 사람들이라 이해가 되지 않는 부분도 많아요. 하지만 단점을 보기에는 그들이 가진 마인드가 나랑 너무 다르다는거에 흥미가 생기고 생각지 못한 부분에서 배움을 많이 얻을 수 있어요. 저는 직장인이었기 때문에 현실적인 사람이었습니다. 그래서 자기의 일을 하는 사업가를 만났을 때 의견충돌이 발생하지만 '나'라는 사람을 돌아볼 수 있었습니다.

예를 들어, '부채도 자산이다' 직장인들에게 부채는 그저 빚, 그 자체입니다. 빚에 쫓기는게 무서워 대출을

피하는 편이지만 자본을 배가 시키고자 연구하는 방법에 있어 대출도 그 중 하나라는 마인드가 나의 시선에서는 신선했습니다.
'그래 그럼 나도 대출을 해서 내 자본을 부풀려야지' 라는 소리가 아닙니다. 그들이 그 자리까지 간 이유를 알게되었습니다. 큰 배짱과 포부가 남다르다는 것, 마냥 대출해야지가 아니라 어떤 그림을 그리고 있다면 그림을 현실화시키기 위해 어떤 방법으로 실천할지도 연구하고 움직이는 모습을 배웠습니다.

그리고 부동산 대표 지인을 통해서 배울 수 있었던 것은 '대표'라는 위치에 있는 분들의 눈빛과 자세였습니다. 서로에 대한 자기소개를 하기 전부터 물어봤어요. "뭔가 대표님의 분위기가 나요" 그런데 대표가 맞다고 하시더라구요. 짐작을 할 수 있었던 이유는 아이컨택과 경청하는 자세 그리고 상대의 의견을 묻는 질문들이었어요. 참 기본인 대화 에티튜드인데 기본에 충실한 모습 속 풍기는 아우라를 볼 수 있었습니다.

주변에 나와 다른 사람들이 생각나지 않는다면 도서관, 서점을 찾으라는 말
정말 많이 들었는데 이제는 이해가 갑니다. 정말 다양한 분야로 성공한 분들의 이야기, 그들의 노하우가 진솔하게 담겨져 있는 것이 책이잖아요.

읽다보니 내가 원하는 삶의 모습을 찾게 되고, 나도 모르게 변화를 마주할 준비가 되어 그 꿈을 이룰 수 있도록 도와줄 동력자들과의 만남까지 자연스레 이어지더라구요.

이 세상에는 대단한 잠재력을 지닌 이들이 많아서 함께 세상을 살아가요. 나의 수준을 높이면 그 만큼의 힘이 되어줄, 나에게 유익을 전달해줄 누군가와의 만남이 성사가 되더라구요. 그래서 더 영향력 있는 사람이 되고자 대단한 사람들과의 연결을 원하기 시작되었어요. 이제는 그들과의 대화를 하기 위해 어떤 정보를 익히고 갈지도 고민도 해봐야 합니다. 색다른 분야에서 편견과 인식이 있다면 잠시 내려두고 모든 만남에 장점을 먼저 찾아야 합니다. 하지만 분별력은 반드시 필요하다고 생각해요. 그들의 성공 방법을 곧이 곧대로 수긍하는 것이 아니라 Why를 먼저 확실히 알아야 합니다. 그들이 그 분야에 파고 들었던 이유, 그 이유에는 삶의 목표와 계획들이 모두 담겨져 있을테니깐요.
Why를 정확하게 듣고 나의 삶에 접목시키고자 하는 부분을 찾다 보면 또 다른 나의 내면에 집중되는 시간을 발휘시킬 수 있어요.

#3 '변화'로 인해 진정 살아가는 삶의 자세

변화가 필요한 때를 알려면 현재의 나의 모습이 어떤지를 돌아보고 앞으로 10년 뒤, 20년 뒤 모습을 상상해보면 답이 나온다고 합니다.

시간 흐르는대로 의욕없이 수동적으로 살아가면 사는 게 아니라 죽음을 향해 간다는 명언이 있어요. 한번 뿐인 인생인데 '나'라는 사람은 어떤 사람인지는 정확히 알고 살아야죠. 어느 장소에서 누구와 함께 어떤 음식을 먹으며 어떤 대화를 하고 있는지를 상상하며 미래의 나를 위해 현재를 살아가야 합니다. 내가 바라던 이상적인 삶을 현실로 만들어 누리면서 사는 것이 진정으로 '살아간다'라는 단어가 부합이 되니깐요.

저는 '위씨드'라는 꿈을 키워주는 공동체를 24살에 만나 지금까지도 서로에게 좋은 시너지를 주며 응원하는 관계를 유지하고 있습니다. 내가 우물 안 개구리와 같은 존재라는 것을 위씨드 모임을 통해 깨달았습니다.
그 모임에서는 먼저 책을 읽으며 서로 읽은 소감을 나눕니다. 사람이란 모두가 같은 생각을 하는 것이 아니기에 5명이 모이면 5가지의 생각들, 10명이 모이면 10가지의 다른 생각들이 모입니다.

개인마다 5분채 안되는 그 짧은 시간의 소감이지만 처음 내 순서가 돼서 소감을 발표하려 하니 목소리가 떨리고 나도 내가 무슨 말을 하고 있는건지 횡설수설…소감이 끝나고 나면 나 자신에게 돌아온 실망감, 내가 직장생활을 하고 있음에도 이렇게 사람들 앞에서 내 생각하나 제대로 말을 못하는구나 깨달았습니다.

지금까지 많은 대중 앞에서 '나'에 대해 이야기하는 그런 환경이 없었고 책 역시도 읽지 않은게 다 티가 난거였었습니다. 모임에서 다른 사람들의 이야기를 들으며 알았어요. 책을 많이 읽는 사람들은 이야기를 할때 사용하는 단어도 다르고 '긴장'을 설레여하고 여유있는 모습이 나타난다는 것을요.

위씨드에서는 한달에 한번씩 각자의 꿈을 적어보고 서로에게 나누는 시간도 있었습니다. 기록된 자료들이 있어 시간 지나고 보았을때 나의 꿈들 역시 변화가 일어났다는 사실에 놀랐던 적도 있었답니다. 처음 모임에서 적은 꿈들의 공통점은 직장 내에서 이루고 싶은 목표들이 절반을 넘게 차지했습니다.
나는 '언제 대리, 팀장으로 승진할 것이고, 내가 총괄이 되어 한 프로젝트를 맡아 보고싶다.' 등 그런데 시간 지나서 적은 내 꿈들은 '내 삶에 자유를 가져다줄 인세 소득 만들기, 가족들과 호주 YWAM(해외선교단체) 6개월간 해외선교 다녀오기, 한달간 산티아고 성지순례 다녀오기' 등 직장이라는 틀 안에서 꾸던 꿈들이 '나'라는 사람이 진정으로 하고자 했던 꿈들로 바뀌었습니다.

내가 놓여진 환경이 내 삶에 많은 영향을 주는지를 깨닫게 된 것입니다. 외부 환경으로부터 나의 꿈들이 희미해져가서 어느 순간부터 꿈이라는 것조차 꾸지 못한 내 20대 초반. 그래도 감사하게도 '위씨드'를 만나 '나'라는 삶이 꿈 꾸었던 진정한 내 모습을 마주하게 되었습니다.

"내가 변화하고자 한다면, 지금까지 만나던 사람들이 있던 익숙한 곳이 아닌 새로운 낯선 환경에 나를 밀어넣어야 한다." -나를 바꿀 자유 책 내용(김민기 저자)

정말 공감합니다. 저 역시도 위씨드를 통해 제 삶이 변화되기 시작했으니까요.
그런데 그런 환경에 1~2번 속한다 해서 크게 내 삶에 변화가 시작되지는 않아요. 20대를 시간이 흐르는 대로 그냥 살아왔는데 꿈을 찾았다고 바로 내 삶이 변하지는 않아요. 다이어트도 똑같은거죠. 20대 끝 무렵까지 열심히 맛있게 잘 먹어 놓고는 '살 빼서 바디프로필 찍어야지!'

목표를 세운다고 하루 아침에 살이 빠져 있지는 않잖아요.
위씨드는 한달에 한번 독서모임을 가집니다.
모임 시간은 2시간 정도라고 했을때 1년이면 24시간…
고작 1일의 시간입니다.
(한달에 1번* 12달=24시간=1일)
변화하고자 하는 마음은 있는데 고작 1일의 시간 조차 투자하지 못한다면 내 삶에 절대 '변화'란 일어나지 않습니다.

시간을 투자해야 합니다.
성공한 사람들이 있는 낯선 환경에 나를 넣어야 합니다.
그들의 생활패턴을 나에게도 적용해보고 마인드 역시 적용하려 노력해야 합니다.
꿈을 꾸는 것이 변화의 시작은 맞지만 행동하지 않으면 말짱 도루묵입니다.

#4 자유를 향한 마르지 않는 물댄동산

물댄동산이란 ‘풍성한 축복’이라는 뜻으로 물이 끊어지지 않는 샘입니다. ‘더불어 사는 삶을 추구하고 타인이 자유롭고 행복해질 수 있도록 돕는 삶을 살때 복에 복이 더해지고, 은혜가 넘친다.’
윤택한 삶을 표현하는 단어라 제 삶의 모토로 삼은 단어입니다.

무수히 많은 자기개발 책에는 하나같이 공통된 성공 습관들을 열거합니다. 책 읽기, 성공자 음원듣기, 운동하기, 선한 영향력을 받을 수 있는 환경에 나를 밀어넣기, 다양한 사람들과 관계하기, 공부하기 등 모두 같은 성공방법을 제시하는데 성공한 사람들은 소수입니다. 그 이유는 오늘 직장 내에서 많은 시간과 에너지를 쏟아부어서 더 이상 나를 위한 자기개발 시간을 쏟을 에너지가 없다는 핑계로 계속적으로 미루니깐요.

저는 스스로에게 질문을 던져봤어요.
“나 이렇게 살아도 되는가?”
‘나는 아직 청춘이고 금전적으로도 여유롭지는 못해도 안정적이다.

그래서 나는 이렇게 살아도 된다.' 라고 생각하시나요?
현실에 익숙해져 내가 하고 싶었던 꿈들이 나로부터 도망가있지는 않은가 한번쯤 시간을 가지고 자신을 돌아볼 필요도 있는 것 같아요.

저는 직장 내 진급에 대한 욕심은 분명 많았으나 상사를 보면 내가 원하던 삶이 아닌 것은 확실했고, 누군가로부터 '꿈이 뭐에요?', '하고 싶은게 뭐에요?'라는 질문을 받을 때면 '왜 직장이라는 바운더리 안에서만 답을 찾으려 애쓰고 있지?' 라는 생각이 불쑥 들었습니다.
내가 진짜 원하는 나의 모습은 결혼 후 가족들과 함께 크고 넓은 세계를 누비는 일상이었는데 그 꿈을 '지금 이렇게 살면 이룰 수 있을까' 라는 생각과 함께 현실을 자각하게 되었습니다.

"돈은 벌고 있는데 시간이 없다"
열심히 돈을 벌고 있지만 그만두는 순간 나의 경제적 수단은 끊기는 현실로부터 나의 꿈이 도망가고 있었습니다.

꿈이라는 첫 페이지를 넘기기 위해서는 습관을 가지는 것이 필요합니다. 70일의 기적을 아시나요?
습관이 몸에 완전히 베일때까지 필요한 기간이 70일입니다. 정말 작은 것부터 실천하다보면 어느 순간 그 행동은 나의 일상이 되는 날이 오게 됩니다.
'책 읽기', '운동하기' 등 습관을 만든다는 목표가 생긴다면 혼자 하는 것이 아니라 주변 사람들과 함께해야 돼요. 책 읽는 습관을 만들자는 목표가 생기면 하루에 한 장, 처음에는 읽지 못하더라고 책을 펴는 행동 조차도 나의 노력이 들어갑니다. 운동을 하려면 자기 전에 하늘자전거 10번만이라도 구르는 시늉만으로도 나는 실천을 한거에요. 말은 쉬워도 실제로 해보면 중간에 결국 작심삼일 되는 사람들이 수두룩입니다. 그래서 '함께'가 중요합니다.

기러기들이 'V'자 형태로 날아가는 모습 보신 적 있으신가요?
혼자 날아가는게 아니라 함께 날아갈때 공기의 저항을 덜 받아서 71% 정도 더 멀리 날아갈 수 있다고 합니다. 선두로 날아가는 기러기가 지치면 옆에 있는 기러기가 자리를 바꿔줍니다. 모든 기러기들이 서로를 이끌고 밀어주는 역할을 수행하며 리더로서 자질을 갖추게 됩니다. 뿐만 아니라 한 기러기가 대열에서 낙오가 되면 2~3마리의 기러기들이 낙오된 기러기가 일어설 수 있도록 기다려줍니다. 이 기러기떼는 매일 수백 킬로미터를 오갈 수 있었던 이유가 바로 '함께'입니다. 각 사람마다 가지고 있는 은사가 다르기에 저희 역시 주변 사람들과 힘을 합쳐야 합니다.

나의 일상이 성공습관들로 가득 채워진다면 나의 환경이 변하기 시작하고 내 주변 지인들이 변하기 시작합니다. 우리는 날이 갈수록 건강해지고 신체적 뿐 만 아닌 정서적으로 건강한 상태가 되어 주변을 돌아볼 수 있는 여유가 생깁니다. 나의 성공만을 갈구하기 보다 다른 사람들의 성공을 돕다보면 그들과 함께 나 역시 내가 원하는 모습에 가까워져 가고 있다는걸 느끼게 됩니다. 삶이 회복된다는 것은 축복이 넘치는 물댄동산과 같은 은혜가 넘친다는 뜻이니깐요.

“일상이 고단하고 지칠지라도 하루에 하나씩은 미래의 나 자신이 고마워할 일을 해야된다”
-닥터조의 건강이야기

#5 간절함의 눈물을 기도 항아리에 채우다

'간절함'이라는 감정을 27살이 되어 처음 느껴봤어요. 단순히 무엇인가를 원하는 것과 깊이가 다른 절실함의 영역이 있습니다.
내 삶에 '간절함'이라는 감정을 느끼는 순간 눈물이 시도때도 없이 흐르더라구요.
예배 시작 전, 반주 소리만 들어도 눈물나는 그 간절함이라는 감정이 나를 움직이게 만드는 매개체가 되었습니다.

호랑이가 닭을 잡지 못하는 이야기가 있습니다.
한 마리의 호랑이가 닭을 쫓고 있었지만, 결코 닭을 잡을 수 없었던 이유
호랑이는 한끼의 식사를 위해 뛰었지만,
닭은 살기 위해 뛰었기 때문에 잡히지 않았습니다.
:
허기짐과 생존, 간절함의 깊이 차이입니다.

'나'라는 사람은 연약하고 부족함 투성이입니다.
지혜, 지식, 성품, 돈, 건강, 아름다움 모든 방면으로 부족합니다. 그렇기에 나의 부족함을 인정하는 것부터가 시

작이었습니다.
간절함의 눈물을 기도 항아리에 채워야겠다 다짐했어요. 굳건한 믿음을 붙잡아야 했거든요. 가고자 하는 길이 옳은 길인지, 앞으로 어떻게 나아가야 할지를 지속적으로 구해야 했습니다.
지속적이라는 단어의 끝은 이루어 질때까지, 중도포기 없이 꾸준히 나아가는 것입니다. 나의 행보에 부족함을 어떤 방식으로 채워 나아가야할지 매 순간 질문하며 궁리해야 합니다.

여기서 중요한건 간절은 하지만 행동으로, 실천으로 옮기지 못한다면 겉은 그럴싸해 보이지만 속은 텅빈 항아리만 덩그러니 남겨질 것입니다. 겉만 채워진 항아리가 아니라 하나님이 보시기에 기뻐하실 내 의지와 소망이 가득찬 항아리로 만들기 위해서는 자신을 한번 돌아보세요.
몸 안좋고, 시간 없고, 일 끝나고 집에 오면 피곤하고, 공부 해야돼서 바쁘고, 가족들 밥 차려줘야돼서 안되고, 데이트 해야돼서 안되고, 이런저런 핑계대며 현실에 다시 안주하고 싶은 자신의 모습을 발견한다면 처음 느낀 '간절함'의 이유가 무엇이었는지 돌이켜 보아야 합니다.

내가 간절히 원하던 꿈이 끝나지 않는 깜깜한 어둠 속을

걸어가는 기분이 들 때도 많습니다. 하지만 기도의 항아리가 채워지면서 생각지 못한 때와 장소에서 동력자를 만나게 되고 아무것도 보이지 않던 길 너머로 해가 떠오르듯 방법들이 생깁니다.

'간절함'이라는 감정을 소중히 여기며 나아가더라도 난관에 봉착할때가 있습니다. 저는 그때마다 항상 상상합니다. 무대에 서서 나의 이야기를 스피치 하고 있는 모습을 말이죠. 무대에 오르는 과정까지 '나는 이런것까지 해봤다'의 나만의 특별한 스토리도 없이 내가 성공하는건 당연히 있을 수 없다라는 마음을 새기며 다독였습니다.

#6 지금 누구와 어떤 대화를 나누고 있는가 = 나는 누구인가

어느날 지인를 만나고 돌아오는 차 안에서 복잡한 감정들이 뒤섞였던 그 날.

오랜 옛 친구가 어떻게 지내는지 문득 궁금해지고 현재의 그 친구는 어떤 사람인지가 알고 싶어져 만남을 가졌습니다. 생각해보니 우리가 만나면 지금껏 대화다운 대화를 하지 않았기 때문에 그 친구가 어떤 사람인지 몰랐습니다. 카페에서 오랜만에 만나 시시콜콜한 대화가 이어지고 이제는 그 친구에 대해 알고 싶은 질문들을 했습니다.

질문에 다른 곳으로 튕기는 답변들과 주고 받고가 안되는 대화들로 인해 잠시 멈추고 서로에게 반가운 마음에만 중점을 맞췄습니다.

그의 삶이 궁금했고 어떤 가치관을 가지고 있는지, 하고 싶은게 뭔지가 궁금했는데 상대에게는 머리 아픈 딥한 대화주제가 되어 버렸더라구요. 지금 돌이켜 생각해보면 아마 만남의 니즈가 달라서인 것 같아요. 나는 사람마다의 다양성에 있어 흥미를 느끼고 그들의 삶에 있어

배울 점이 무엇인지에 포커스가 맞춰져 있는데 그 친구는 나와의 만남을 통해 바쁜 현대사회로부터 벗어나 친구와의 재밌는 시간, 맛있는 것을 먹으며 온전히 휴식을 취하는 시간을 바랬기에 대화의 온도가 맞지 않았습니다.

오랜만이었어요. 근래들어 정말 다양한 부류의 사람들의 만남이 이어졌었고 그들의 삶을 공유하는 대화에 자극을 받고 내가 몰랐던 세상을 알아가는 재미에 빠져있던 하필 그 시기에 대화단절을 느껴버렸습니다. 감사한건 현재 내가 만나는 사람들이 어떤 사람들인지를 알게되고 그 시간 덕분에 내가 어떤 만남을 추구하며 나아가는지 돌아볼 수 있게 되었습니다.

'1조 매출 기업 자산가 000' 배경화면에 설정해두고 그에 맞게 행동하는 파트너

.

명품브랜드 본사에 근무하는 이유는 배우가 되기 위한 필요한 물질적 수단이기에 꿈을 향해 나아가는 파트너

.

리걸테크 스타트업 창업과 함께 미국 명문대학교 입학을 앞둔 고3 파트너

.

전세계 마라톤 완주라는 극한 도전을 통해 삶을 배우는 책 저자이자 동기부여 연설가 등

꿈이 있는 사람들이라서
활기찬 에너지를 뿜어내는 리더들이라서
만남이 얼마나 귀하고 축복인지 스스로 아는 사람들이라서

그들과의 대화가 나를 성장시켜 주기에 즐겁다는걸 상기시켜주었습니다.
또 다른 감사는 내가 그런 사람들과의 만날 수 있다는 것이, 헤어지기가 아쉬워 새벽까지 대화를 주고 받고 있다는 것 자체가 내가 참 많이 성장했구나 라는 걸 느꼈습니다.

결론으로는 대화단절을 느꼈음에도 그 만남은 결코 시간낭비가 아니라는 것입니다. 그 친구를 알고 싶었지만 오히려 내가 현재 어떤 사람인지를 더욱 알게되어 이 또한 예비된 시간이었다는 것에 감사가 절로 나왔습니다.
넓고 큰 인사이트를 가진 사람들과의 교류를 위해 나 역시 영향력 있는 사람이 되어야겠다는 목표에 불을 지펴주었습니다.

독서모임 중에 이런 질문도 나온 적이 있어요.
'왜 우리 얼굴에는 눈 2개, 귀2개, 입은 하나일까?'
:
그렇게 인간의 피조물 형상과 관련한 기사를 찾아봤습

니다.
얼굴 중 가장 높은 곳에 위치한 두 개의 눈은
더 높고 넓게 보라는 뜻이고,
두 개의 귀는 양쪽의 말 모두 경청하여 배로 들으라는 뜻,
편안한 숨을 쉬고 미세한 냄새도 잘 맡을 수 있도록
두 개의 콧구멍을 가졌습니다.
:
그런데 입은 왜 한 개일까요?

“2배로 보고 2배로 듣고 2배로 향을 맡지만
이야기는 절반만 하라”

성경에 보면 ‘갈릴리 호수’와 ‘사해’ 이야기가 나와요.
갈릴리 호수는 유입되는 강물과 흘러가는 강물이 공존
하여 물고기들이 뛰어노는 생명의 젖줄이 됩니다.
반면 사해는 유입되는 강물만 있어 결국 물이 고이게
되고 고인 물은 썩게 되는 것이죠.

여기서의 해석은 ‘갈릴리 호수’가 ‘두 개의 귀’를 뜻하고
‘사해’는 한 개의 입을 말합니다.
인간의 귀에서 역겨운 냄새가 나지않는 이유는, 추악한
말은 한 귀로 듣고 다른 한 귀로 흘려버리기 때문이라
합니다. 인간의 입에서 구취가 나는 것은 다른사람이 내
뱉은 사악한 말과 남에 대한 나쁜 감정으로 가득 찬 자

신의 말이 입안에서 화학작용을 일으켜 독소를 내뿜고 있기 때문이라고 하죠.
사해에서 고인 물은 썩는다고 하잖아요. 부정의 언어를 입에 가득 담고 있으면 결국 병이 납니다.

말에는 엄청난 힘이 있다는 것을 느낄 수 있는게 긍정적인 이야기를 나누는 자리에서는 밝은 에너지가 확실히 나와서 피곤했다가도 힘이 생기고, 생기가 돋는 시간들이 있어요. 반면에 부정적인 이야기들이 늘어져 있는 공간에 있으면 집에 가는 길 지쳐있는 내가 있습니다.

필요한 말만 해도 할 말이 많아요. 쓸데없는 이야기는 줄이자는 거죠.
미래로 나아가는 이야기만 해도 시간이 부족한데 과거에 얽매여 있는 이야기를 언제까지 하겠어요. 비난을 쏟아부어도 해결되지 않을 것 같으면 그 시간을 오히려 독려와 응원의 의사소통이 더 필요해요.

고민거리가 있을 때 혼자 묵묵히 담아두다 속앓이 하는 것 보다는 친구 또는 가족에게 상담을 하고 조언을 구하는 것도 필요합니다. 하지만 끝나지 않는 고민은 대화를 이어가는 상대를 힘들게 할 수도 있어요. 잦은 푸념이 결국은 나의 가치를 저하 시킬 수 있다는 점도 잊으면 안돼요. 연애고민, 회사고민 등 다양한 고민이 있겠지만 안좋은 이야기는 결국 내 얼굴에 침 뱉기이니깐요.

#7 대화의 한끗 차이

혼자 살아갈 수 없는 이 세상에서 '공동체'란 중요한 필수요소입니다.
대화 할 때 결국 상대가 나의 말을 정확히 이해하고 있는지가 중요합니다.
요즘은 이야기하는 방식 속에서도 MBTI(개개인의 성향)를 추측할 수 있는데 사실 개인의 성향과 대화법은 서로 연결될 부분이 아니라고 생각해요.
성향은 말 그대로 개인의 성향인거고, 대화란 나 외에 타인이 섞여 각자의 생각과 느낌 등을 주고 받는 활동입니다. 대화란 반드시 훈련이 필요한 영역이기에 우리는 교양있고 매력있는, 그리고 타인과 균형을 조화롭게 이루는 대화법을 배워야 합니다.

누구는 T(사고형) 성향인 사람이라 하면 공감을 못하고 차가워 보일 수는 있다고 하지만 제일 중요한 요점은 공감의 영역 속에서 '상대방에 대한 배려'가 있느냐 입니다. 대화 내용 속 비도덕적인 혹은 상대를 깎아내리는 용어가 섞일 시, 그것은 T(사고형) 성향과 무관하며 대화법을 훈련해야 하는 대상입니다.

인간은 완전한 인격체가 아니잖아요. 우리는 계속적으로 훈련이 필요합니다.
특히 팀으로 이루어져 어떤 프로젝트를 위해 함께 나아갈 때, 각자가 말은 안해도 다양한 크기의 어떠한 불만은 가지고 있습니다.
어떤 불만이 발생됐을 때 누군가는 즉각 풀어가는 사람도 있겠지만, 마음 속에 쌓아두고 언제가 시간 지나 임계점에 도달해 터지는 사람들도 있죠. 어떤 방식으로도 불만을 이야기할 때는 상대가 기분이 나쁘지 않게 솔직한 나의 감정을 전달해야 합니다. 특히 내가 가고자 하는 방식이 반드시 옳다고 생각하는 아집은 잠시 내려두고 그 불만의 원천이 어디서 발생되었는지 알아내기 위해 타인에게 경청할 자세가 먼저 필요합니다.

특히 팀장, 리더의 자리에 있다면 매사에 행동과 말 조심해야 합니다.
'리더'이니깐,
팀원들이 따라갈 수 있는 모범이 되어야 하는 자리이니깐 항상 즐거운 긴장감을 놓칠 수 없는 자리라는 걸 상기시켜야 합니다.

Leader(리더)의 첫 스펠링 'L'이 'Listening'에서 시작되었다는 말도 많아요. 내가 말을 많이 하기 보다 상대의 이야기를 더 많이 들어 줄 수 있는 자세를 갖추고 그 이야기 속 부정의 언어는 한 귀로 흘려보낼 수 있는 역량도 필요하다는 것을 깨달았습니다.

말 수가 적어보여도 필요한 말만 하는 친구를 보면 신중한 타입으로 비춰져서 조언을 구하고 싶은 상대가 되기도 하죠.

대화에 있어서 또 한 몫하는 건 체력&건강입니다.
인간이란 기력이 딸리고, 몸이 안좋은 날에는 어쩔 수 없이 예민해지고 말에서 티가 납니다. 주위 사람들에게 바로 들통나죠. '오늘 기분이 안좋구나'
근데 사람이 언제나 항상 완벽할 수는 없지만 리더의 자리의 무게를 견디기 위해서는 무엇보다 체력관리 필수라고 생각합니다. 반복된 오늘의 컨디션 난조로 인해 팀의 분위기 마저 저조시키는 것은 모두가 이해해주지는 않아요.

각자의 삶을 구성하는 다양한 항목들이 있을건데 무엇이 우선순위인지 점검해보세요. 일상생활에 많은 일들을 처리하다 보면 나의 우선순위에 영향을 끼칠 수도 있으니깐요. 우선순위에 집중하게 위해 다른 일들은 누군가에게 도움을 요청하거나 내가 짊어진 무게에서 잠시 내려두고 1순위에 집중하는 것이 생산적입니다.

#8 돈에 대한 다양한 시선. 나는 어떤 시선으로 바라보고 있는가?

"돈은 공기와 같아"
공기가 없으면 어때? 죽어
돈이 없으면 어때? 당장 죽지는 않아도 피폐해져
적당히 있으면 그냥 적당히 살아는가겠지
공기청정기가 있으면 더 깨끗한 공기를 마시며 더 건강한 삶을 살겠지
돈도 많이 있으면 이상적인 삶을 살겠지
:
남편과 친구의 대화 내용이에요.
맞죠, 각자의 수중에 있는 돈에 맞춰 살아가잖아요.

제가 원하는 삶은 돈이 많이 필요해요.
그래서 부자가 되어야겠다고 다짐했어요.
어느날 그런 생각이 들었어요. '돈 돈 거리지마, 돈이 인생의 전부가 아니야'라는 말은 아마 거의 다 한번쯤 들어봤지 않을까 싶은데 그 이야기를 하는 사람들의 모습은 어때요?

돈을 벌기 위해 하루 24시간 중 기본 9시간에서 많으면 12시간이 넘는 시간을 투자하는데 그렇게 열심히 살아

가도 똑같은 하루가 반복되는 일상 속에 갇혀있지는 않나요?
로또 1등이 당첨되면 마음 지하 속 깊이 숨겨온 이상을 펼치지 않을까요?

친한 오빠 왈 “아마 물질적인 자유함을 겪어보지 못해서 그런 말이 나온게 아닐까?” 결국에는 현실에 치여 돈이 전부가 아니니깐 다른 행복을 찾으라는 말이 나오는게 아닐까 싶어요.

반면에 돈에서 자유로운 사람들은 자기의 시간을 스스로 계획하고 통제해요.
그런 사람들은 돈이 삶에 얼마나 많은 영향을 주는지 잘 알기에 계속 경제 공부를 해요. 돈, 돈 거리는건 물질적인게 아니라 돈에서 자유롭고 싶은 순수한 야망이에요.

남편이 야간근무를 마치고 새벽 6시에 해운대 바닷가 근처 국밥집에서 밥을 먹은 적이 있어요. 창가에 앉아 해수욕장을 바라보고 있었는데 벤틀리, 벤츠, 포르쉐 외제차들이 일렬로 주차를 하더니 차에서 러닝복을 입은 중년 부부들이 내려 스트레칭을 하고 러닝을 시작했다고 말해주더라구요.

“환희야, 부자는 부자가 되는 이유가 있더라”
만나는 사람들은 그들의 삶을 대하는 자세가 비슷한 사람끼리 어울려진다고 느낀 남편은 많은 이들이 잠들어 있는 새벽에 운동을 하는 저 모임에 끼고 싶다고 이야기를 해주었습니다.

외제차를 타고 다니는 사람들은 다 이유가 있고, 어떤 이유로 성공했는지 궁금해서 그들과의 만남을 원하는 자세로 바뀐 우리를 보며 다짐했어요.
‘우리 역시 조찬모임을 즐기며 아침을 독서와 운동으로 시작하는 삶을 살자’
:
그렇게 남편의 제안으로 친구들과 함께 새벽 6시 해운대 바닷가 조깅을 시작했습니다.
정말 사람들이 많더라구요.
해운대 해수욕장의 새로운 모습을 보게 되었습니다.

낮 시간대 가면 가족구성원들이 많고 한가로이 해변을 즐기는 사람들의 모습을 볼 수가 있구요,

밤 시간대 가면 젊은이들이 해수욕장에 있는 사람들 반 이상을 차지하고 음주도 섞이고 젊음을 즐기는 모습을 볼 수 있습니다.

새벽에 가니깐 연령대가 일단 높았습니다.
6시에 이미 바다수영을 하고 나와서 몸을 닦고 계신 중년 남성분들 무리가 있고, 여기저기 팀을 이루어 조깅을 하고 계시고, 해수욕장 중앙에서 여럿이 요가매트를 깔고 다 함께 요가를 하는 모습을 보니 지금껏 봐왔던 내가 알던 해운대가 아니었습니다.

해운대는 부산에서 부자동네로 유명한 곳이에요.
부자들은 그 새벽 시간에 어떤 삶을 사는지 간적접인 체험을 하게 된 것이었죠.

너무 감사했어요. 부자들의 루틴을 체험할 수 있어서 자극을 받는 광경 역시 볼 수 있었죠.

조깅은 마치고 서로 어땠는지 나눔을 하고있던 중 남편이 처음 국밥 먹으면서 본 외제차들이 다시 일렬로 주차를 하더니 그때 봤던 중년 부부들이 내리기 시작했습니다.

남편은 저희에게 저 분들이었다며 알려주었습니다.
그들은 꾸준히 새벽을 건강하게 시작하고 있었던 것이었고, 꾸준함이 있었기에 외제차를 타고 여유있는 모습이 뿜어져 나온 것이 아닐까 또 한번 동기부여를 받게 되었습니다.
그렇게 저희도 새로운 커뮤니티를 만들게 되었습니다.
"한 달에 한 번, 새벽 조깅크루를 만들어서 함께 해보자"

하루를 어떻게 보내는지에 따라 나의 내일이 달라지기에 오늘을 더 열심히 살아봐야겠다는 다짐이 생겼습니다.

평범하게 회사 다니고 그럭저럭 생계유지만 되는 평범한 일상은 살고 싶지는 않아요. 저는 저와 남편이 회사라는 공간에서 벗어나 우리의 하루를, 우리의 삶을 스스로 개척하길 원해요. 넓은 세상도 여행 다니며 더 많은 경험을 하길 원하구요. 누구는 여행 다니며 자유로운 삶을 살아가는데 나는 그런 꿈을 꾸지 못할 이유는 없으니깐요.

우리 모두 '마음 지하공간'이 있어요. 그 깊은 곳에 잠시 두었던 내 야망들에 귀 기울여보고 솔직해봅시다. 돈에서 자유함이란 제 생각에는 어떤 선택에 있어 고민, 불안함에서 해방되는 것이고 내 가족을 지켜주는 보호막 그리고 소중한 사람들과의 재미와 유익, 행복한 시간의 연속입니다.

#9 '함께'라는 공간

부경대학교 교수인 친한언니를 보러 간 날 언니에게 특별한 질문을 받았습니다 '너는 정말 하고 싶은 것 혹은 욕심이 나는 것은 뭐야?'
'언니, 저는 공간에 대한 욕심이 있어요.'
나의 만다라트(Mandal-art) 핵심내용을 둘러싼 8가지 중 한가지가 '공간'입니다.

(만다라트(Mandal-art): 일본 유명 야구선수 오타니 쇼헤이가 활용한 계획표로 유명하고, 가장 가운데 칸에 핵심 내용을 적고, 이를 둘러싼 8개의 칸에 핵심 내용과 연관되는 내용을 적은 후 또 다시 8개의 내용을 중점으로 이와 연관되는 세부 내용을 작성한다.)

나의 최종 꿈은 '환희' 나를 찾는 것이고, 나를 찾아 떠나기 위해 필요한 8가지 중 한가지로 '공간'을 적었습니다.

1)부산_60평대 자가 아파트
→각종 미팅: 요리미팅, 독서미팅 등
→많은 인원이 수용 가능한 넓은 집

→포레스트뷰(숲속뷰) / 자연과 가까운 우리집

2)강원도_2층 별장

→위씨드 여행, 촌캉스, 자녀들에게 줄 수 있는 시골정서

→시부모님 고향 땅에 집을 지어
언제든 가서 쉴 수 있는 공간

3)부산_기장 또는 송정에 아지트

→낚시, 위씨드 여행, 독서미팅, 쉼터

→오션뷰 / 바다 역시 좋아하는 우리 부부를 위한
바다 근처 아지트

위씨드와 함께하는 시간이 매 순간 즐겁고 꿈을 나누는 대화로 인해 어디에 있든공간이 따뜻해지는 기분이 들 때가 있습니다. 그러다보니 어느 순간 위씨드라는 공동체가 우리 부부의 삶에 너무나 커져버린 존재가 되어 버렸나 봅니다. 매번 만날 때마다 헤어지는 시간이면 어쩜 그리 매번 아쉬움이 남는지

이제는 위씨드 유행어가 되어버린
“이럴거면 우리 그냥 다 같이 살자”
그래서 나에게 미팅에 최적화된 공간에 대한 욕심이 생겼습니다.

저희 부부가 결혼을 준비할 당시,
시부모님 고향인 강원도에 땅 353평 매매가 나왔다는 소식을 듣고 바로 그 기회를 잡았습니다.

결혼을 준비할 때는 돈이 많이 드는 상황임에도 불구하고 기회를 잡을 수 있었던 이유는 결국 꿈이었어요. 위씨드 커뮤니티에서 항상 강원도에 별장을 짓고 싶다는 이야기를 했었고 그 꿈을 계속적으로 이야기하고 생각하다보니 꿈을 이루기 위한 준비도 하고 있었습니다.

강원도에 별장을 짓고 싶다는 이야기를 주변 지인들 뿐만 아닌 고향에 계신 친척들 너머로까지 소문이 나게 되었고 땅 매매가 나왔을 때 제일 먼저 연락을 받게 되었습니다. “기회는 준비된 자가 잡는다” 라는 말을 그 때 경험하게 되었습니다. 꿈 조차 안 꾸었으면 말도 안 나왔을 거고, 목표를 위한 적금이 따로 들어있지 않았다면 기회가 생겨도 놓쳤을 것입니다.

이제는 한 발 더 가까워졌습니다.
강원도 땅에 멋진 별장을 짓는 날도 얼마 남지 않았습니다. 미래를 그려나가는 것은 나의 자유이고 선택이기에 맘껏 상상하고 준비하려 합니다.

강원도 땅
353평
구매완료

#10 여행의 연속인 삶

해외만 ‘여행’이라 생각했던 저에게 이제는 장소와 시간 불문하고 위씨드와 함께있으면 그 공간 자체가 여행이 되는 마법이 됩니다.

학창시절 친구들이나 가족들이 함께 놀러가면 설거지나 쓰레기를 버려야하는 부분에 있어 항상 가위바위보로 정하곤 했는데 위씨드와 함께 여행을 가면 누가 할지 말할 것도 없이 일사분란하게 먼저 정리하고 챙겨주려는 모습들을 봅니다.
설거지를 하려 하면 다른 누군가가 이미 그 자리를 채워주고 있어 낄 자리가 없을 때가 많아요. 서로를 배려하는 모습들이 고마워 나도 쓰레기를 정리하고 편하게 먹을 수 있도록 의자와 테이블을 세팅합니다.

누군가 말도 꺼내기 전에 행동을 하게 만드는 공동체입니다. 같이 간 친구들이 여행이 즐겁기를 바라는 마음에 행동했던 움직임들이 모두에게 있었기에 여행을 마치고 돌아오는 길에는 ‘내가 제일 즐거웠구나’를 느낄 수 있었습니다.
그들이 행복했으면 좋겠다라는 사랑의 감정이 진정

성공하는 방법이라는 것을 몸소 배웁니다. 그들이 윤택한 삶을 살기를 바라는 마음으로 움직였을 때 비로소 나도 윤택한 삶을 살고 있다는 것이죠. 사랑이 있기에 그에 맞는 보상이 따르는 것을 느낍니다.

우리는 자본주의 시대를 살아가고 있잖아요.
자본주의 사회 속 더불어 함께 풍요롭게 살아가는 것이야 말로 진정 부를 향해 나아가는 길인데 그 방법 중 하나는 커뮤니티라고 생각해요.

자본주의하면 떠올리는 것 중에 '잘 사는 사람들만 계속 잘 산다' '끝 없는 욕망과 벗어나지 못하는 어떤 굴레' 등 자연과 인간성을 파괴하면서까지 부를 쌓는 자본주의로 생각하는 사람들 간혹 있습니다. 그런 정의가 떠올려지는데는 그러한 이유들이 존재했기 때문입니다. 부정하지 않아요. 하지만 안좋은 시선으로 바라봐지는 정의가 있다하면 자본주의의 긍정적인 시선들도 당연 존재합니다. 자본주의이기에 새로운 시장과 일자리들이 창출하는 것, 그리고 경제 성장과 생활 수준 향상을 이끌고 있잖아요.
이 자본주의 시대 속에서 어떤 자세로 삶을 누릴지가 중요하기에 선한 공동체가 필요합니다. 어떤 환경인지에 따라 나의 생각과 행동도 달라지니깐요.

개인이 가진 은사가 빛을 발할 수 있도록 독려해 줄 수 있는 팀, 개인이 직면하는 도전에 있어 다양한 분야의 동력자들이 붙어 함께 목표를 실현해줄 수 있는 팀. 나를 성장시켜줄 공동체가 있다면 그건 정말 축복입니다.

작가의 말

저는 꿈이 있는 활기찬 리더들과의 만남을 통해
진짜 '나'의 모습을 마주하게되었습니다.
이런 좋은 사람들과의 교류는 '선한 부자'라는 목표를
만들어주었습니다.

어떤 마음가짐을 가지고살아야 할지,
'변화'를 대하는 삶의 자세는 어떠해야 할지,
꿈을 이루기 위해 꼭 해야 할 일들은 무엇인지,
'돈'과 '공간'에 대한 생각들을
솔직하고 담백하게 풀어냈습니다.

어느 장소에서 누구와 함께 어떤 대화를 하며 사실 건가요?

나를 찾아가는 시간이시기를,
내가 누구인지 알아가는 순간이시기를

간절히 바랍니다.